파란우주

지은이 | 김소은

파란우주

발　행 2023년 12월 12일
지은이 김소은
펴낸이 한건희
편　집 김소은, 김주아
디자인 김주아
펴낸곳 주식회사 부크크
출판사등록 2014.07.15(제2014-16호)
주　소 서울특별시 금천구 가산디지털1로 119 SK트윈타워 A동 305호
전　화 1670-8316
이메일 info@bookk.co.kr

ISBN 979-11-410-5919-4

www.bookk.co.kr

파란우주

김소은

2023

청소년의 끝자락,

설렘과 미련 그 사이 어딘가에게

새로운 이름표를 전달하려

파란우주를 바칩니다

차례

부분 1 _ 엇나간 시놉시스는 기회를 잡고

부분 2 _ 넘어가나요, 파울 홈런이었네요

 부분 3 _ 아홉수 지나가보니 뿌연 안개가

 마무리 _ 파란우주

부분 1

엇나간 시놉시스는 기회를 잡고

01 셋 없는 둘

흑과 백이 세상을 덮는다
작고 각진 형상이 뿜어낸 짙은 무채에
무지개는 힘을 잃었다

동그라운 행적에 다시 색을 담아
방향을 모르게

서사를 가진 시조는
색채를 가지고 짙게
두드리며 나아가는 다섯 개의 완전체

02 삼백예순날

멍하니 손을 들어 깨우치다
또 째려보며 포옹하다
그러다 흘러가 엉키는

통행을 거부한 먼지가
이리저리 쏘다니다
운명하다
운명처럼

식물이 좋다던 컵
산책 가자던 손가락
심심하다던 한 면의 서적 그리고

얽히고설킨 방문은
굳게 동굴이 되어
어디론가

어쩌다 보니 거미줄이
이빨에 삭혀
위로 올라가다

눈이 되어
떨어지기도

03 음성과 표정과 모양과 나

따가롭게 박히는
음성과 표정과 모양

얼음 깨는 소리, 모니터 흘끗 보다 손톱 깨무는 소리,
창밖 바라보다 의자 끄는 소리,
걔가 그렇다니까 하는 소리,
굴러가는 기계 밟는 소리,
직사각형 냉장고 탁 닫는 소리,
침묵한 입 그러나 흘러나오는 물체 속의 소리,
사락 넘기는 책 면의 소리,
손잡고 걸으며 나오는 피실하는 소리,
터벅이는 뒤꿈치에 부닥치는 소리,
살갗의 이물질을 서리로 착각하게 하는 태양빛과
또 그런 소리

무관심한 모든 것
나에게만
결국 그냥 눈 한번 굴리는 모양

모두가 내는 음성과 표정과 모양

마주쳐야 소리 나는 손뼉과
우두커니 나

아시아드 벤치와
우두커니 나

보라색 고구마 라떼와
우두커니 나

검은 펄 수십 개
우두커니 나

04 굴러가는 돌멩이에 대하여

채이고 걸러지고 차이며
결국엔 굴러가는
굴레의 상징

높이 올라선 세모 산이나
도포된 푸르름과 바다일까
하다가도
결국엔 자갈 비탈길이 목적지

채이고 깎이고 대각선으로
목적지는 어느새 한 잔의 추억

갈리지 않으면 맺히는
무수한 형용을 받아들여
결국엔 받침을 가지는

보이든 비켜가든
굴러갈 수밖에

묻는 사람
하나 없으니

05 연을, 테가

첫눈이 오는 날
이상하게 아름답단 버스정류장에서

모두가 눈을 찡그리는 눈보라 속에서도
하얀 눈을 두 손으로 받아내며 웃고 있었다

의미 없게 모은 두 손에서
세상의 아픔과 고독까지도
모두 받아내겠노라
하는

지독한 박애를 보았다면
그건 필리아일까

'참으로 어둡고 찬란한 곳입니다'

평생 너의 말엔 동의할 수 없다가도
믿어볼까
하면
그게 에로스일까

06 그래도 우산은 있어야지

우산을 펼쳐도
추적추적 찌르는 비가 싫었다

막을 용도가 막지 못해서
괜히 그렇게 비난할 법했다

07 큰따옴표와 작은따옴표

의식적인 사이 속
획의 차이

원초적인 욕망을 나름 구겨 게슴츠레 떠
획 하나
원초적 의식을 경련 된 입꼬리에 걸고
입을 멍청하게 움직이며
획 둘

결국 내뱉는 것은 큰 따옴표
품은 것이 작은 따옴표였으므로
심욕이자 야욕
하나 하기 그지없는 둘이었다

쓸었던 눈가에 맺힌 눈물
당신이 뵙고 내리렸으면

작은 따옴표는
큰 따옴표를 삼켰으므로
묻지 못해
안쓰러웠을 과격

눈부시게도 화창한
오묘를

08 0106 I209 741

아아,
들리시나 오버
사건번호 0106 I209 741 수행 완료
1급 비밀 작전 코드인가요

저기, 안녕하세요
뭐 좀 찾으려고 하는데요
문서번호 0106 I209 741이 필요해서요
행정 업무에 필요한 문서인가요

0106 凤岗路站
I209 아시아드 경기장 역
741 신대방 삼거리 역

떠나온 곳과 정착한 곳
한 시간 십 오 분 거리의
지하철 역 번호

0106 I209 741
바뀌는 삶의 반석
고향은
잃어버렸을까
여러 개로 나뉘었을까

09 운명을 믿지 않는 사랑에 대한 이야기

글쎄
운명이라
광대짓을 우연으로 포장했다면 모를까
우리의 지금도 사소한 결정이 엮어진 결과물이겠지

운명을 믿지 않아
엄밀히 말하자면
꽤나 우습게 생각해

거스를 수 없는 작위적 만남
불쾌하기 짝이 없게도
굳이 운명을 정의하자면

그런데
그런데 말이야

너는 날
우연을 가장한 광대짓을 하게 해
견고히 쌓아 온 인과가 실금처럼 사라져

네가 나와 가까워지고
너의 눈을 통해 나를 볼 수 있는 그 순간

그 찰나의 낭만을 위해
우리를 운명이라고 칭하고 싶어

너를 위해 광대짓을 해볼까 하는데
극장의 유일한 관객이 되어줘

부분 2

넘어가나요, 파울 홈런이었네요

10 하릴 없음

‘달리 어떻게 할 도리가 없다’고 형용
‘조금도 틀림이 없다’고 형용

달리 어떻게 할 도리가 없다가도
조금도 틀림없어 끄덕이기도

조금도 틀림없어 넘어가려 하다가도
달리 어찌할 도리가 없어 돌아서기도

결국
하릴없고
하릴없고
계속해서 하릴없기도

11 노력과 노오력

언젠가
노력은 노란색일까
하는 실없는 생각을 한 적이 있다

노오력을 하면 노오란색이 될까
싶어서 실실 웃어도 봤다

마침표 찍기가 쉽지 않구나
싶으면 항상 노오란색
노오란색 노오력이었다

12 사칙연산이 통하지 않는 하루는 숫자로 남아

동그라미 하나 누르고
내딛고
여섯 번의 방향 끝에는
외진 곳에 영화관
여섯 개의 관이 있었다

다섯 자리 숫자의 도피처
다행히 바뀌지 않는 앞자리 일
다섯 번째 줄 칠 번 자리

사람들은
여섯 번의 방향을 쉬이 알지 못해
너머엔

지정석이 되어버린
외진 곳이었다

다섯 자리 숫자를 감당하지 못하던 날엔
기웃거리다
양심에 입맛 다시고

그 날엔
네 자리 숫자를 누르기 싫어
천천히 걸었다
미적미적
방향이 여섯 개에서 열두 개로 늘기도 했다

네 자리 숫자 너머엔
지정석이 없었고
사랑은 있었다

13 이 상

‘

날개야

다시 돋아라

’

그 이상에 움직였더랬다

한번만 돋아볼 수 있을까 하여 움직여졌더랬다

어떻게 되었나요

비상의 최후는

물을 수 없다고 돌아보지 않았지만
물을 수 없기에 결국은 돌았다

바람은 생각보다 차더군요
구름은 생각보다 단단하더군요

한 번은 새의 행렬을 망칠 뻔해 두렵더군요
지금은 나뭇가지에 앉아 쉬고 있는데
앞으로는 어떻게 될지 모르겠습니다

날개 걱정은 마세요
쉬는 찰나에도
혹시나 하여 구김살도 남기지 않고 펼쳐 두었습니다

바다에 가면 소식 전하겠습니다
쌀쌀하니 감기엔 감기약을 드세요

14 물거품이 된 인어공주는

차다

나를 감싸 안아주던 물결이
이렇게나 사무치게 차가울 줄이야

너의 눈동자가 아닌
은빛 칼날이
내 마지막을 비추는구나

그려본다
너의 머리에 씌워진 명예와
너의 곁에 머무른 진실한 사랑

그러면 되었다

그리고,

되었다

15 반의어

보호하는 사람이 이기적인 거야
다 자기 마음 편하려고 하는 행동이야

무너진 너의 세상을 바라보는
나를 도리어 바라보며 너는 말했다

막아선 등판을 보았다
탑보단 벽
벽보단 담장
담장보단 문이었다

위했나요 누구를
확실한 건 당신도 나도 다쳤다는 거예요

답해도 돌아오지 않았다
숨은 소통의 유일한 창구
문에는 문고리가 없었다

16 결 結

열아홉 가지의 해가 바라보는 마지막 숨은
흘러가면 멀고 선택하면 가까워서
가늠하기 쉽지 않았습니다

검은 하늘을 방향 삼아 얕게 오르면
그대로 떨어져내려 파묻힐까 내 고개가 먼저 꺾일까
결국 바닥에 붙어버리기도 했습니다

체스판 왼쪽 병이 끝 줄에 도달하거나
퀸이 대각선으로 움직여 앞까지 다가오면
베어 없어질까 눈을 감았습니다

결국은 결
별 다른 이야기도 아니었습니다
모든 생이 결 하나에 묶였습니다

그것이 저의 마지막일까
아직은 펼쳐보지 못한
다가올 기억인가 봅니다

16 소녀

펜 촉에 나를 담았을까 하고 물으신다면
너무 둥글고 와중에 깊어
차마 흘려내려 달음박질했다고 하겠습니다

몇 발자국 눌렀을까 짐작한다면
계단턱에 걸리기 두려워
샛길로 돌아갔다고 귓속말하겠지요

기다리는 이의 지킴이 찌르지 않았냐 흘겨본다면
지켜봄이 지킴이 될 순 없다
생글 웃으며 위안하고

결국 한 끗 별을 안아볼래요 외치며
눈을 돌려 달아날 것 같네요

18 계몽

바른 토지에 민들레 송이
여긴 물이 없으니 목마를 수밖에
강가,
강가로 가면 풍족히 마셔 결실을 얻으리

아이야, 우리는 강가로 가야 해
그렇지 않으면 돌에 핀 민들레
바스러져 가루가 되기까지
우리의 결말도 그러하리니

아이야, 나의 홀씨는
강가의 방향을 향해 뿌렸으니
너의 종자도 한 곳으로

봄은 둥글지 말아야 해

계몽된 민들레 송이는 강가로
송이에서 송이들이 되어도 강가로

주위에 연못이 생겨 보여도
그건 곧 말라비틀어질 거란다
무엇이든 갉을 테니 먹고 계속 앞으로

강가엔 미소가 정말 많이 있네요
흙 묻은 입꼬리를 주워봐도 이내 버려진 거예요
저기 저 민들레 송이는 되돌아 풀으로 가던데
이제는 더 이상 앞으로 처할 방향이 없네요

멈춰 서있기 두려우니
강가 속으로 너머로 갈게요

그건 한 곳이자 직선
둥근 봄은 사치잖아요

19 Debussy: Suite Bergamasque L.75 III. Clair De Lune

문밖을 나서기엔 바람이 너무 차
결국 달빛을 눈동자에 담진 못했습니다

하루가 지나면 온도가 떨어질 줄로만 알고
내일은 보자,
이불을 덮고 잠을 청했습니다

달은 제게
곁을 내어주기 싫었을까요
성품이 마음에 들지 않았을까요
가까이 두기엔 아름다운 외모이지 못했을까요
시간을 들어보니 찬란이 없었을까요

아쉬운 날에는
아쉬움을 참기 힘든 날에는
달빛을 피해 몰래
드뷔시를 만났습니다

그는 Lune
나는 달

얕은 피아노 선율은
달빛을 보게 하고
저는 그제야 잠에 든

그런 밤들이었습니다

20 봄별과 겨울꽃

봄에는 벚꽃과 개나리가 만개해
시선이 이끌리고
겨울에는 찬바람의 기색이 역력해
검은 도화지에 별똥별이 유세라지만

봄에도 별이 있고
겨울에도 꽃이 피어요

제자리 아니라며 슬그머니 내어주어
눈에 비치지 않는 듯 투영하지만
결국은 그림자를 타고 올라가
찾고 찾아지며 키득대는
거센소리의 웃음과 봄별과 겨울꽃이네요

부분 3

아홉수 지나가보니 뿌연 안개가

21 이 상 (둘)

이렇게끄적이면당신을이해할수있을까하여시도하는중입니다제의식일까무의식일까고민하는찰나인데어떻게보시려는지요묻고싶은것이많지만물을수없어아쉽습니다아쉽다는말도아쉽게아쉽습니다이해해도그것이온전하고완전한이해일까요실상은이해가필요없는것같기도합니다시어를골라내기어렵습니다사실골라낼필요가없는것일까요시가무엇이길래당신은적었습니까그리고칭송받았습니까시와시조와시어와운율과연과서정산문시와그리고많은것그것이다뭐길래당신은적었고나는붙잡고있습니까시는무엇입니까

22 기차의 시간

길은 걸음을 소유하고
강은 흐름을 소유한다

길에서 시간에 흐름을 맡기어
길은 강이 되고
멈춘 걸음은 흐름이 되고

도달하면 제각각
걸음과 흐름이 나뉘겠지만
길은 강이었다

흐름을 걸었다
걸음을 흘렸다

23 특징은 결론을 말해주지 않아서

더위를 잘 타지 않고
추위는 잘 타지만
여름을 외면하고 겨울을 반깁니다

내리쬐는 태양빛에 눈을 찡그리는 것이
잠깐의 자외선에도 검게 그을리는 것이
그대와 조금 떨어져 걷는 것이
외면할 만하기 때문이에요

내려앉는 겨울바람엔 눈을 동그랗게 뜨고
첫눈 아래에 서서 손을 갖다 대보며
시리다는 투정 하에 그대에게 안기는 것이
반겨지는 덕분이에요

더위를 잘 타지 않고 추위는 잘 타는 것이
항상 걱정거리가 되는 모양이지만
그럼에도 추위를 타기에 생기는 틈새가
보기 좋은 회상이네요

24 사차원

절 벽 끝 자 락 에 서 도 아 니 상 대 할 대 상 이 다
바 람 꽃 한 아 름 만 같 은 순 간 들 이 었 는 데
존 재 는 흩 날 리 는 티 끌 만 도 아 닌 무 언 가
한 마 디 안 부 와 한 소 절 장 난 과 미 소 와
악 지 르 지 못 한 욕 설 을 목 젖 에 서 거 들 었 어
순 간 에 서 영 원 이 될 수 있 을 까 소 망 했 어

결 국 은
추언과 격찬을 은어에 섞어
동시에 머릿속에서 흘려냈어
죽지도 살지도 못하는 좌표는 차원을 넘겨
보지 못할 연속점을 찍어냈어

25 E에게

존재해야 하지만
실재하지 않아서
뭉퉁그려진 발음에 반작대기를 긋는다

띄지도 가라앉지도 않은
이어 붙이지도 자르지도 못한
집약된 획 자가 담은 것은

E에게 보내는 애도였을까 추모였을까

26 공식

모두가 아는 해내는 방향
지도 마냥 뚜렷한 방정식의 끝은 언제나 등호

그리고 결심 그리고 행동
그리고 희석되는 순간의 영원

결국 멀리 달아나는 한 줌의 다짐
그럼에도 박차보는 현재와
그렇고 그런 말라버린 눈물

27 마법이란 단어일 수도

무수한 별과
그 아래 드림노트
들어가기도 힘든 기차 침대 칸의 왠지 모를 아늑함

귤 냄새 섞인 은은한 겨울 향기와
기어코 파고 들어가는 웃음소리에
귀 아픈척해 보는 무소용한 구김살

동 차면 바스라지는 첫눈의 찬란함
울창한 공책에 늘어놓고는
조용히 눈을 감는 그 일 분 일 초

28 은유가 사라지고 있어

자박자박 글자를 걷다
비스듬한 의문에 어라 뒤돌아보던 순간이
어느새 헛된 개성에
시선을 잡아 먹혀
왜 비스듬하지 않았느냐 성을 냈어

잘 익은 체리 한 콕
열매는 두 조각이니 너와 나
나누어 맞대면 좋겠다 한 마디가
언제부터 사랑이었느냐 지나쳤어

뭉터기 구름이 인사치레 지나가듯
엉키인 바람결 심술궂다 치덕대도
함박웃음으로 몇 차례 다리다 보면은
순하게 펴진다 토닥임이
말장난이냐며 끊어내고

별이 참 어지럽네
아름을 담으면 보기가 흐릿해
괜스레 눈물만 담긴다 피실대도
어쩌라고 던져지고 찰나는 검었어

은유가 사라지고 있어

29 단 하나의 버킷 리스트

아무 이상이 없는 대상으로부터
주입된 여운이 그을림을 남겼고

눈길 받고자 발버둥 치는 흑연에는
조소 담은 친절함 때문에 바닥을 주시했습니다

사랑
사랑의
무엇을 담은 파노라마였을까요

단어로 정의되지 않는 수많은 관계
어떤 눈빛을 보내고
어떤 안정을 받았나요

모르겠다 흘러가겠지 읊었다면
정말 순리를 신뢰하며
서린 달빛을 마주해도 아무렇게 울지 않았나요

잘 안되네요
돌고 돌며 순환하지 않는 사랑이
쉽게 이해되지 않아서
결국은 고민하다 낙담하네요
스무 고개 넘어가는 순간에도 머리만 멍하면서요

그저
사랑은 무엇일까
치열하게 고민하고

가끔은 실천하는 우리에게
깊은 찬란을 전합니다 그뿐입니다

마무리 _ 파란우주

파란 우주가 아닌 파란우주다. 이 말인즉슨, '파란'이 '우주'를 형용하고 있지 않다는 뜻이 되겠다. 파란우주는 한 단어다. 파란은 우주의 성질 중 하나가 아니다. 파란은 우주의 전부인 동시에 독자적인 개체도 될 수 있다. 하지만 하나 확실하게 짚고 넘어갈 수 있는 건, 파란과 우주가 각각 존재하지는 않는다는 도깨비 같은 횡설수설이다.

형용사에 집착하며 때로는 글을, 때로는 대상을, 때로는 속임수를 적어 나가지만 형용사의 본질을 의심하고 또 의심한다. '파랗다'는 그저 파랄 수 있지만, '우주'와 악수하는 순간부터 더 이상 콩 골라내듯 떼어내 버릴 수 없게 된다. 형용과 그 대상은 물감 같아서, 아무리 건져내도 이미 퍼져버린 색색들이 깊게 은연해 있는 것이다. 파란波瀾이다. 이럴 바엔 붙여 쓰는 게 낫다. 불행한 형용사이자 관형어는 필요 없다. 적어도 나의 우주에게는.

예의 없는 구절에 심심한 사과의 말씀을 드린다. 파란우주의 의미도 차치하고 내 하소연만 늘어놓았다. 본디 묻지도 않은 하소연은 당황만 불러일으킬 뿐이다.

그걸 알면서도 백스페이스를 누르진 못했다. 몇 마디 하소연 없이는 파란우주를 놓고 운을 떼기 쉽지 않기 때문이다.

사진 속 우주는 항상 검었다. 검다기보다는, 검다고 생각했다. 검색창에 '우주'를 입력하면 으레 검은 배경에 빛 몇 조각 콕콕 박힌 이미지가 떠돌곤 했다. 하늘에도 하얀색 구름이 있지만 하늘을 하늘색이라 하고, 잔디밭에도 꽃이 있지만 잔디밭을 연두색이라 하듯, 우주도 검어 보였다. 그런데 어느 순간, 기억에도 흐릿한 찰나부터다. 별이 수없이 밝았다. 행성의 이름이 끝없었다. 달은 중력이 부족하지만 보조개가 아리따웠고, 은하수는 저리도 상냥할 수가. 형색이 너무나 명랑해서, 무광일 수 있었을 텐데도 기어이 사선으로 색을 풍겨서, 우주가 조금은 파란색이 아닐까. 빛이 너무 밝고 하애서 파란우주가 아닐까, 생각했다.

결국 파란우주는 내 길고 짧은 도토리 세월의 고즈넉한 은유가 되었다. 자아가 생기기 시작한 지난날들을 회상할 때 그 회상을 자연스레 파란우주라 칭했다. 회상은 회상이라는 단어가 국어사전에 등재되어 있기에 회상인 거다. 드라마 스물다섯 스물하나에서 희도와 이진이 둘만의 관계를 무지개라 정의했듯이, 나의 회상은 파란우주다. 사고하는 행위, 추억에 빠지는 아련함, 결코 미화되지는 않는 그 순간의 눈물, 모든 게 합쳐져 파란우주이다. 특히, 꿈의 추상성을 의심하기 시작한 순간이 말이다.

파란우주의 시초를 만든 책은 배유안 작가님의 <스프링벅>이다. 작중 아프리카에 사는 스프링벅이라는 양 이야기가 시작된다. 스프링벅은 그저 다른 양보다 많은 풀을 먹겠다는 생각으로 뛴다. 풀을 먹겠다는 의도도 잊은 채 그저 앞선 양을 제쳐야 한다는 의도 없는 목적만 남는다. 그렇게 뛰다 보면 어느새 절벽 앞이다. 낭떠러지가 눈앞에 있음에도 가속도 때문에 멈추지 못하는 스프링벅 떼는, 절벽 아래로 추락하고 만다.

추한 악몽이다. 십팔 세 무렵, 내가 스프링벅 무리에 있는 것만 같았다. 풀은 안중에도 없이 그저 좋은 성적으로 남을 제치려 살아가는 스프링벅인 것만 같았다. 눈앞에 절벽이 있을까 무서워하다 '나는 무얼 위해 꿈을 감추고 살아가나' 하는 깊은 회의가 들었다. 보통 멍청한 양이 아니었다. 풀의 존재를 알면서도 절벽으로 뛰는 양이었다. 분명 꿈이 있었고, 꿈의 존재도 알았다. 어릴 적부터 그저 뭉쳐져 있기만 하던 나의 꿈이, 허물을 벗고 본연의 모습을 보였다. '꿈의 추상성을 의심한 순간'이라고 했다. 꿈은 대단한 목표도,

형상이 없는 애들 장난도 아니었다. 해리 포터에 나오는 보가트처럼 자신이 생각하는 대로 보인다. 그곳으로 한 발자국 딛는 순간 꿈은 형상이 되고, 나의 현재가 된다. 그뿐이다. 하나가 아닌 여러 개일 수도 있다. 중간에 그만두고 싶을 수도, 아직은 없을 수도 있다. 꿈은 특별하지만 대단하지는 않다. 확실한 건, 스프링벅이 되긴 싫었다.

그렇게, <스프링벅>은 이야기를 사랑하던 나의 손을 들어 첫 창작 희곡인 <파란우주>를 적게 했다. 내가 만든 주인공인 소우주는 꿈을 가졌고, 꿈을 알았지만 이룰 수 없었다. 그러다 이루려 했지만, 누군가는 이루지 못하게 했고, 그럼에도 소우주는 결국 이루기 시작했다. 전형적인 청소년 성장형 인물이 '이루기 시작하기 위해' 발버둥치는 내용이다. 나의 첫 희곡 <파란우주>를 시집 <파란우주>를 집필하면서 다시 읽어 보았다. 뭐가 그리 억울했을까, 뭐가 그리 의문이었을까 하는 측은함이 읽혔다. 소우주에는 내가 녹아 있었다. 꿈을 가지면 안 될까요. 꿈대로 살 수는 없을까요. 꿈을 아직 찾지 못한 친구들에게는 질문을 던져주시고 대답할 여유를 주시면 안 될까요. 투명하게 비친다. 낭랑 십팔 세 다운 내용이라는 생각이 든다. 물론 형식도, 내용도 뭐 하나 제대로 갖추지 못한 엉터리 희곡이지만 열정 하나만큼은 지금도 인정한다. 예쁘게

보일 줄은 모르는 열정이라 삐죽삐죽 튀어나왔지만 말이다.

시집 <파란우주>는 모래바람을 겪고 조금은 잔잔해진 소녀의 이야기다. 자신이 보잘것없다고 느꼈고, 자신이 가장 특별하다고 느꼈으나 그마저도 잔잔하게 흘려보낸, 그저 그런. 휠 줄 몰라 부러지기를 반복해 상처투성이일지언정 후회하지 않는다 작게 내뱉는 그런. 이룬 것 하나 없는 무의 세월을 마주한 그런. 더 이상 전할 말은 '받아들인다' 뿐, 뛰어넘지도 가라앉지도 않는다. 그럼에도 기록은 해야겠으니 시집이요, 마주 앉은 공책과 펜과 고뇌다. 부디 즐기셨기를 바라며 영원히 노래하는 나의 소우주에게, 동반의 손을 내민다. 그 손에 들린 것은 단언컨대 나의 첫 시집, <파란우주>이다.

∞. 희곡을 보내고 시집을 맞이하며

가끔은,

항상 이 말을 하기 전엔 '가끔은'이라고 내뱉는다. 죄 고쳐지지 않는 습관이다. 벗 삼고자 발버둥을 쳤기에 나오는 무의식적인 반동이 아닐까 싶다. 결국 이번에도 말을 잇지 못하고 쉼표를 찍었다. 가끔이라고 하기엔 너무 자주 시가 무서웠다. 펜 촉이 종잇장에 오래 닿지 않는 순간이 아득했고 시가 나를 거부할까 봐 시가 두려웠다. 그럼에도 습관적으로 펼치는 페이지와 딸깍이는 모양이 아리게도 환희를 보였다. 붙듦을 멈출 새 없이 메타포 비스무리한 주절거림과 그 사이에 자리 잡은 게이름이 나를 마주했다. 일방적인 구애는 언제나 쓰린 법이고 애쓴 끝에 마주하는 모양은 언제나 단면. 입꼬리를 올려 봐도 허사요, 서로가 애틋하여 나오는 미소가 아닌 혹여나 버림받을까 근심하는 자의 구걸하는 표정이었다. 시는 항상 그런 식이었다. 내 안보단 밖에 있는 경우가 잦았고, 빠져나갈까 염려하는 건 나뿐이었으니 지치고 쇠하는 입장도 언제나 나. 유일하게 모든 순간을 지킨 원통 플라스틱 필통과 펜 한 자루에게 경의를 표할 따름이다.

요즘은,

또 빌어먹을 습관이다. 머릿속이라는 게 생각보다 복잡해서 문득 찔렀다 빠져나가는 수많은 생각들이 순차적으로 나열되지는 않는다. 특히나 모순적인 생각이 동시에 들어 혼란을 주는 건 일상이다. 모든 글을 '사차원' 마냥 쓸 수는 없는 노릇이기에 순차적으로 써 내려갈 뿐이다. 문단과 문단에 과도를 주기 위해 '요즘은'이라는 단어가 자연스럽게 두들겨졌다. 요즘은 아니고 항상, 시가 너무 두렵다는 생각을 하는 동시에도, 시가 나를 기다려주고 있는 것이 아닌가 하는 의식이 흘렀다. 밀고 당겨진다고 착각했으나 사실은 밀고 당김 모두 한 방향에서 초래한 결과인 것만 같은 기분이 자꾸만 든다. 머무르고 불변하는 것은 시요, 고뇌하고 토라지는 것은 나다. 이쯤에서 '특징은 결론을 말해주지 않는다'는 걸 상기시켜본다. 그래도, 그럼에도, 그리하여도, 세 번이나 강조할 만큼 시는 나를 기다린다. 위 문단과 아래 문단을 순서를 모르게끔 반복해서 읽다보면 이 두 가지 생각 회로가 한꺼번에 오가는 나의 머릿속을 알 수 있을 것이다. 다시 한번 이 모든 순간을 지킨 원통 플라스틱 필통과 펜 한 자루에게 경의를 표한다.

아무튼, 시는 그렇다. 아직 아마추어인 나는 시를 무어라 콕 집어서 말하기가 힘들다. 그럼에도 시를 벗 삼아보라 하신 김민정 시인의 말씀과, 시는 소통을 위한 도구가 아니니 그저 쓰라 하신 박연준 시인의 말씀이 내 막연한 시어의 길잡이가 된다. 시는 언제나 내 곁을 맴돈다. 어쩌면 시들의 모임에서 각자의 담당 인물이 따로 있어 나만을 주시하는 시가 존재하는 게 아닐까 싶을 정도로 시는 내게 참 집요하다. 시를 까먹을 때쯤 바닷가 칭다오에 이병률 시인께서 오셨고, 시를 포기할 때쯤 차해원 작가께서 '노스텔지아'를 내셨다.

누군가에겐 우연일 수도 있는 일이 나에겐 필연이라면, 그건 해야 하는 일이다. 오늘도 또 하나의 꿈을 밀어본다. 꿈이란 단어의 자음이 울림소리, 예사소리를 제쳐 두고 된소리인 이유는 그만큼 세게 밀고 나갈 힘이 필요해서가 아닐까. 시를 접하게 해주시고 적을 수 있도록 물꼬를 터주신 칭다오경향도서관 박건희 관장님과 한국문학 선생님께도 깊은 감사를 드린다. 이어서 응원해 주신 모든 가족들, 친구들, 그리고 내 모든 단어의 힘이신 하나님께 감사드린다.